# La Fabuleuse
# Entraîneuse

**De la même auteure chez Québec Amérique**

**Jeunesse**

SÉRIE CHARLOTTE

*La Nouvelle Maîtresse,* coll. Bilbo, 1994.
*La Mystérieuse Bibliothécaire,* coll. Bilbo, 1997.
*Une bien curieuse factrice,* coll. Bilbo, 1999.
*Une drôle de ministre,* coll. Bilbo, 2001.
*L'Étonnante Concierge,* coll. Bilbo, 2005.

*La Nouvelle Maîtresse,* Livre-Disque, 2007

SÉRIE ALEXIS

*Marie la chipie,* coll. Bilbo, 1997.
*Valentine Picotée,* coll. Bilbo, 1998.
*Toto la brute,* coll. Bilbo, 1998.
*Roméo Lebeau,* coll. Bilbo, 1999.
*Léon Maigrichon,* coll. Bilbo, 2000.
*Alexa Gougougaga,* coll. Bilbo, 2005.

SÉRIE MARIE-LUNE

*Les grands sapins ne meurent pas,* coll. Titan, 1993.
*Ils dansent dans la tempête,* coll. Titan, 1994.
*Un hiver de tourmente,* coll. Titan, 1998.

*Maïna – Tome I, L'Appel des loups,* coll. Titan+, 1997.
*Maïna – Tome II, Au pays de Natak,* coll. Titan+, 1997.
*Ta voix dans la nuit,* coll. Titan, 2001.

**Adulte**

*Du Petit Poucet au Dernier des raisins,* coll. Explorations, 1994.
*La Bibliothèque des enfants, Des trésors pour les 0 à 9 ans,*
coll. Explorations, 1995.
*Maïna,* coll. Tous Continents, 1997.
*Marie-Tempête,* coll. Tous Continents, 1997.
*Le Pari,* coll. Tous Continents, 1999.
*Pour rallumer les étoiles,* coll. Tous Continents, 2006.

# La Fabuleuse
# Entraîneuse

**DOMINIQUE DEMERS**

QUÉBEC AMÉRIQUE Jeunesse

Catalogage avant publication de Bibliothèque et Archives nationales
du Québec et Bibliothèque et Archives Canada

Demers, Dominique
La fabuleuse entraîneuse
(La série Charlotte ; 6)
(Bilbo ; 164)
Pour les jeunes.
ISBN 978-2-7644-0559-8
I. Titre. II. Collection : Demers, Dominique. Série Charlotte ; 6.
III. Collection: Bilbo jeunesse ; 164.
PS8557.E468F32 2007     jC843'.54     C2007-941206-8
PS9557.E468F32 2007

Conseil des Arts
du Canada

Canada Council
for the Arts

SODEC
Québec ::

Nous reconnaissons l'aide financière du gouvernement du Canada
par l'entremise du Programme d'aide au développement de l'industrie
de l'édition (PADIÉ) pour nos activités d'édition.

Gouvernement du Québec – Programme de crédit d'impôt pour
l'édition de livres – Gestion SODEC.

Les Éditions Québec Amérique bénéficient du programme de subvention
globale du Conseil des Arts du Canada. Elles tiennent également à
remercier la SODEC pour son appui financier.


Québec Amérique
329, rue de la Commune Ouest, 3ᵉ étage
Montréal (Québec) H2Y 2E1
Téléphone : 514-499-3000, télécopieur : 514-499-3010

Dépôt légal : 3ᵉ trimestre 2007
Bibliothèque nationale du Québec
Bibliothèque nationale du Canada

Révision linguistique : Diane Martin
Mise en pages : Andréa Joseph [PageXpress]
Conception graphique : Louis Beaudoin

À mon frère André,
Un grand sportif et un fabuleux
bibliothécaire

et

À tous mes amies et amis de l'école
Marie-de-l'Incarnation

## Remerciements

Mes vifs remerciements à Julie Cyr et à ses élèves de l'école Louis-Lafortune, Suzanne Gaudreault, Linda Clermont, Anne Guay, et aussi à tous les généreux complices de l'école Saint-Clément. Toute ma reconnaissance à Anne-Marie Villeneuve, Marie-Josée Lacharité et l'équipe de Québec Amérique sans qui ce roman ne serait pas le même.

# -1-

# Le défi de
# Paula Pénible

Quand je l'ai vue arriver, honnêtement, moi, Jérémie Jolivet, j'ai failli me sauver. Ma cousine Marie m'avait averti que son amie Charlotte était un peu originale. Mais elle ne m'avait pas dit qu'elle était longue et mince comme une asperge, qu'elle était plutôt vieille et bizarrement vêtue et qu'elle portait un grand chapeau noir sur la tête, un peu comme un chapeau de sorcière mais avec une petite bosse ronde au lieu d'un bout pointu.

Je n'ai rien contre l'originalité. Le problème, c'est que cette

M^lle Charlotte n'avait pas été invitée à un bal costumé. Elle venait nous secourir. Nous sauver la vie presque. Moi, en tout cas, c'est comme ça que je le voyais.

Sa mission était simple et claire : entraîneuse de l'équipe de soccer de l'Anse-aux-Canards. Mon équipe de soccer ! Celle qui doit absolument écraser l'équipe de la Baie-des-Bleuets au grand match de fin d'année. Et quand je dis absolument, je n'exagère pas. C'est d'ailleurs ÇA, le problème. Je m'explique…

Notre directrice, Paulette Pénible, est la sœur jumelle de Paula Pénible, la directrice de l'école de la Baie-des-Bleuets. Les deux directrices sont en chicane depuis la maternelle, ou presque, et elles se disputent encore sur tout. Cette fois, chacune veut que son école

14

porte le nom de Tony Brillant, la grande étoile internationale de soccer. Tony Brillant habite maintenant en Angleterre, mais il est né à mi-chemin entre l'Anse-aux-Canards et la Baie-des-Bleuets.

Nous, franchement, on s'en fiche royalement. Le nom de notre école ne change pas grand-chose à nos vies. Mais on est quand même pris dans un affreux pétrin !

Il y a quelques semaines, Paula Pénible a lancé un défi à sa sœur Paulette, notre directrice : l'école qui remportera le grand match de soccer de fin d'année deviendra l'École Tony Brillant. Depuis, tous les matins, à huit heures trente-huit minutes, Paulette Pénible hurle à l'interphone : « Victoire ! Victoire ! Tout ce qui compte, c'est de gagner ! » Quand j'entends ça, j'ai des nœuds dans l'estomac.

Nos adversaires ont trouvé un entraîneur redoutable : Vincent Vaillant, le mari de Paula Pénible, un ex-colonel d'armée archisévère, très discipliné et horriblement déterminé. Il est prêt à tout pour gagner. En apprenant la nouvelle, notre entraîneur, Bob Bibeau, a démissionné. Et personne ne veut le remplacer. Tout le monde trouve bien trop effrayant de se mesurer à Vincent Vaillant !

Le jour où notre entraîneur nous a laissés tomber, j'ai téléphoné à ma cousine Marie. J'avais besoin de quelqu'un à qui me confier. Marie m'a encore parlé de cette M$^{lle}$ Charlotte qui a changé sa vie. Et c'est là que nous avons concocté un plan.

Marie a téléphoné à Paulette Pénible en se faisant passer pour une directrice d'école qui avait quelqu'un à lui conseiller. Ma cousine est une excellente actrice. Elle a tellement bien vanté les mérites de M^lle Charlotte que PP – c'est le surnom de notre directrice – a accepté de l'embaucher sans même la rencontrer !

Il ne nous restait plus qu'à retrouver cette fameuse M^lle Charlotte… qui n'a même pas d'adresse ! Marie lui a laissé un message dans la rubrique des petites annonces du journal *Ça Presse*. Et ça a marché ! Remarque, je n'ai pas trop compris comment. Le texte de l'annonce ressemblait un peu à un code secret. Je me souviens seulement qu'il était question d'une certaine Gertrude.

Mais tout ça n'est pas très important. Ce qui compte, c'est qu'on doit absolument performer à ce grand match. Sinon ? C'est la honte pour l'équipe. Si on se fait écraser, des centaines de spectateurs vont se moquer de nous. Pas juste les partisans de nos adversaires ! Mes voisins, mes parents, mes copains et toutes les filles de l'école, c'est sûr. Mais ce n'est pas tout ! En plus, mon père va me répéter qu'il est déçu de moi pendant des semaines, sinon des années. Et ça, c'est vraiment trop pénible.

Moi, je déteste le soccer. Pour un million de bonnes raisons. La première, c'est que je suis poche. Vraiment poche. Comme dans nul, pas bon, moche, lamentable, minable. Si j'avais le choix, je jouerais aux échecs. Je suis un as de la stratégie. Le drame, c'est que mon père est maniaque de soccer et propriétaire de la boutique Sport Plus. C'est lui qui a forcé Bob Bibeau à me prendre dans l'équipe. C'est à cause de lui que je suis inondé d'insultes par Frederico Ferros, notre meilleur compteur. Un véritable champion empoisonneur. Sa spécialité ? Me crier à tue-tête devant un troupeau de filles : « Jérémie Pourri ! »

Hier, quand Fred a vu M$^{lle}$ Charlotte entrer dans le gymnase, il n'a pas pensé une seconde que ça pouvait être notre nouvelle entraîneuse. Les autres non plus d'ailleurs. Mes coéquipiers ont continué à me poser des questions sur cette mystérieuse M$^{lle}$ Charlotte qu'on attendait avec impatience. Avait-elle déjà joué dans une ligue réputée ? entraîné une équipe renommée ?

J'étais bien embarrassé : ma cousine était persuadée que son ancien professeur était la meilleure candidate sur la planète, mais elle n'avait jamais réussi à m'expliquer *pour-quoi*. J'allais répondre n'importe quoi, angoissé à l'idée que cette espèce de haricot coiffé d'un chapeau bizarre allait nous annoncer qu'elle était notre nouvelle entraîneuse, lorsque l'étrange dame s'est arrêtée devant nous.

Elle s'est arrêtée et elle a souri. C'est tout. Elle a simplement souri en posant tranquillement son regard bleu joyeux sur chacun de nous.

Après quelques instants d'étonnement, Jasmine Jolie, la meilleure coureuse de l'équipe et sûrement la plus polie, a demandé :

— Est-ce qu'on peut vous aider ?

L'épouvantail a répondu :

— Oh non ! C'est moi qui suis venue vous aider.

Là, elle a fait une drôle de pirouette suivie d'une grande révérence, un peu comme dans les films lorsqu'un servant s'incline bien bas devant un roi. Enfin, elle a annoncé :

— Je suis M$^{lle}$ Charlotte. Votre nouvelle entraîneuse !

Dix paires d'yeux se sont braquées sur moi. Dix paires d'yeux m'ont fusillé. Je pense que tous les joueurs auraient préféré que notre directrice elle-même, l'exécrable PP, s'annonce entraîneuse. Ils songeaient sûrement à me trancher en rondelles lorsque M$^{lle}$ Charlotte a annoncé :

— Aujourd'hui, si vous êtes d'accord, nous allons apprendre à perdre.

C'est exactement ce qu'elle a dit ! Mes coéquipiers étaient tellement sidérés qu'ils n'ont même pas songé à me réduire en fricassée.

Ils sont restés cloués... et ils l'ont écoutée.

# -2-

# Qui veut du smalalamiam?

Ce n'était pas une blague. L'objectif de M^lle Charlotte à ce premier entraînement était de nous apprendre… à perdre ! Mais avant, elle a dû convaincre Fred Ferros de nous suivre sur le terrain.

— Au soccer, il y a toujours une équipe qui gagne et l'autre qui perd, a-t-elle expliqué. C'est donc très important d'apprendre à perdre. Une victoire, c'est heureux, mais une défaite, ça peut être encore mieux…

C'est là que Fred lui a coupé la parole :

— O.K. le clown ! Ça suffit. On peut comprendre que VOUS ayez appris à perdre. Mais NOUS, on sait jouer et on est là pour GAGNER. Si vous en doutez, parlez-en à PP.

Tout le monde était d'accord avec Fred. Il y a eu un bref moment de silence. Comme dit Laurent, le comique de l'équipe, on aurait entendu un pou penser.

— Vous savez jouer ? a demandé M<sup>lle</sup> Charlotte avec l'air de ne pas en être sûre. Alors… montrez-moi !

On a tous bondi sur nos pieds. Sauf Fred.

— À une condition, a-t-il négocié. Montrez-nous d'abord que vous savez jouer.

— Oh oui ! Youpi ! s'est exclamée M<sup>lle</sup> Charlotte en applaudissant comme une enfant.

Je n'avais pas remarqué que notre nouvelle entraîneuse portait un drôle de sac en poil de je ne sais trop quoi. Une fois dehors, sur le terrain, elle l'a ouvert et elle en a sorti un ballon de soccer. Un ballon en apparence parfaitement normal. Fiou! J'étais soulagé. Jusqu'à ce que M$^{lle}$ Charlotte ajoute:

— Je vous présente Anatole!

Là, franchement, on a tous pensé à se sauver. Mais on n'en a pas eu le temps. Parce que M$^{lle}$ Charlotte s'est mise à jouer avec Anatole... comme une pro! Ce fut tout un numéro. Elle l'a fait rouler sur ses épaules, rebondir sur ses genoux, sa tête, ses fesses, son dos... Fred avait les yeux ronds comme des roues de camion.

— Où avez-vous appris ça? a demandé Laurent quand M$^{lle}$ Charlotte s'est soudain arrêtée, les yeux brillants et pas même essoufflée.

— Oh ! Anatole et moi, on se connaît depuis tellement long-temps…

Dix minutes après le début du jeu, notre nouvelle entraîneuse marquait son troisième but. Elle ne jouait pas seulement bien. Elle jouait avec un plaisir épatant. Comme s'il n'y avait rien au monde de plus amusant que de courir après un ballon noir et blanc.

D'habitude, les entraîneurs *regardent* les joueurs jouer. Ils sont là pour observer, critiquer, hurler des ordres, distribuer des conseils… et engueuler ceux qui commettent des erreurs. Je le sais, j'y ai goûté ! M^lle Charlotte était différente. D'abord, au moment de former les équipes, elle a insisté pour jouer.

Et c'est son équipe qui a gagné !
Fred était furieux. Il venait d'essuyer une rare défaite alors que
moi, j'étais du côté des gagnants.
Du jamais-vu !

L'enthousiasme de M$^{lle}$ Charlotte
agissait sur nous comme une potion
magique. J'en ai presque oublié
que je déteste le soccer. Elle riait,
blaguait, nous encourageait. Tous
les joueurs se sont surpassés. Et au
deuxième match, l'équipe de Fred
a gagné. Lui-même n'avait jamais
si bien joué.

À la fin de la pratique, M$^{lle}$
Charlotte a rangé Anatole dans
son sac en prenant le temps de le
caresser doucement. Comme s'il
était vivant !

— Nous allons maintenant désigner le joueur étoile de la journée,
a annoncé notre entraîneuse.

Qui mérite cet honneur à votre avis ?

Tous les regards se sont tournés vers Fred, qui affichait déjà un sourire triomphant. C'est lui qui avait marqué le plus de buts. Évidemment.

— Lui ? Ah non. Je ne vois pas pourquoi. Qui a le mieux perdu ? a-t-elle précisé.

Personne n'a répondu. On en était tous à se demander si notre entraîneuse faisait exprès pour nous provoquer ou si elle avait vraiment le cerveau fêlé.

— Pensez-y pendant la nuit. Demain, j'offrirai du smalalamiam à celui qui arrivera avec une proposition satisfaisante.

Et pfuiit ! Elle est repartie.

Mille questions se bousculaient dans ma tête. Qu'est-ce que le smalalamiam ? Que peut bien signifier « mieux perdre » ? Et comment peut-on même imaginer préférer la défaite ?

D'habitude, à la fin d'une pratique, tout le monde se dépêche de rentrer. On est fatigués, affamés, on a des tonnes de devoirs, des amis à voir, des émissions à regarder. Cette fois, c'était différent. On est restés à observer M<sup>lle</sup> Charlotte s'éloigner avec son drôle de sac et Anatole caché dedans.

C'est là que je me suis surpris à penser que son ballon était magique. Qu'avec n'importe quel autre, M<sup>lle</sup> Charlotte aurait été poche. Comme moi ! C'est là aussi que j'ai découvert que j'avais hâte au prochain entraînement. Et ça, franchement, c'était tout à fait ahurissant.

# -3-

# Crotte de crotte!

Le lendemain, tous les élèves de l'école avaient entendu parler d'Anatole. Et de M<sup>lle</sup> Charlotte! Mon ami Billy, à qui j'avais raconté notre premier entraînement, avait promis d'assister au deuxième. Pauvre Billy Bungalow. Il est aussi malheureux que moi, mais pour des raisons contraires. Billy adorerait faire partie de l'équipe, lui. Mon ami est très *bolé*, mais il court à une vitesse d'escargot et il n'a pas tout à fait un corps d'athlète. Disons que Billy est un peu… enveloppé, sans doute parce qu'il mange trop de caramels mous. Dès qu'il s'ennuie, Billy sort un caramel de sa poche ! En plus, son père n'est pas propriétaire d'une boutique de sport alors, forcément, il n'a jamais réussi à être choisi.

J'avais beaucoup réfléchi à l'énigme de M$^{lle}$ Charlotte, mais je n'arrivais pas à la résoudre. Tout le monde sait qu'on est mauvais perdant quand on se met à tout défoncer parce qu'on n'a pas gagné. Mais personne n'avait fait de crise de nerfs ou de colère. Alors comment pouvait-on perdre *mieux* ? J'en avais parlé à Billy, qui avait promis d'y réfléchir.

Ce jour-là, pour la première fois, il y avait des spectateurs à l'entraînement. Et pas seulement Billy. J'ai reconnu Fiona Falbala, une espèce de Barbie qui roule des yeux doux devant Fred Ferros. Miranda et Monica, ses deux copines qui s'intéressent bien plus aux garçons qu'aux ballons, étaient également présentes, de même qu'une bonne douzaine d'autres enfants. M$^{lle}$ Charlotte est arrivée en dernier. Elle s'est avancée vers nous, elle a déposé son sac et elle nous a offert un sourire fracassant. Un sourire qui m'a réchauffé jusqu'en dedans. Et j'en avais bien besoin ! La veille, au souper, mon père m'avait tenu un discours qui m'avait détruit l'appétit :

— Jérémie, le jour du match, je m'attends à ce que tu performes. Compris ? N'oublie pas que ton père est le propriétaire de Sport Plus. Il faut que tu comptes au moins un but. M'entends-tu ?

Je l'entendais tellement que mes oreilles bourdonnaient et mon cœur avait peur de battre.

— Alors? Qui a trouvé la réponse? a demandé M<sup>lle</sup> Charlotte.

Une voix a retenti dans l'estrade. C'était Billy!

— Il n'y a pas de bonne réponse, a déclaré Billy. Personne n'a mieux perdu parce que tout le monde s'est surpassé. Jérémie m'a raconté…

Le visage de M<sup>lle</sup> Charlotte s'est éclairé d'un sourire tellement radieux qu'elle semblait briller de l'intérieur.

— Bravo, Billy! s'est-elle exclamée.

Elle connaissait le nom de mon ami! Depuis quand? Encouragé, Billy a continué:

— Bien perdre, c'est peut-être juste comme bien gagner. Il faut simplement faire de notre mieux. Donner tout ce qu'on peut.

M^lle Charlotte était au comble de la joie. Elle s'est mise à sautiller en poussant de petits cris ravis comme si Billy avait accompli un exploit.

— Tu as parfaitement raison, a-t-elle confirmé une fois calmée. Hier, vous étiez tous des joueurs étoiles.

Puis, elle a ajouté :

— Mais pourquoi ne joues-tu pas, toi ?

Billy a baissé les yeux.

— Parce que je n'ai pas été choisi, a-t-il répondu, honteux.

M^lle Charlotte n'avait pas l'air de comprendre. Elle s'est tournée vers nous dans l'espoir d'une explication. Mon regard a croisé celui de Fred. Il avait l'air dégoûté.

— Billy est nul, a déclaré Fred. C'est tout. Comme Jérémie ! Mais ça, c'est une autre histoire…

Le pire, le plus étonnant, c'est que M<sup>lle</sup> Charlotte ne semblait pas comprendre davantage.

— Aimerais-tu faire partie de l'équipe ? a-t-elle finalement demandé à Billy.

Billy a avalé un peu de salive.

— Oui, a-t-il répondu d'une voix de punaise.

Puis, il s'est ressaisi et il a répété, plus fort :

— Oui, j'adorerais ça…

— Alors, tu es officiellement admis ! a déclaré notre entraîneuse comme s'il ne pouvait y avoir d'empêchement.

Derrière moi, Fred Ferros a lâché, furieux :

— Crotte de crotte !

M<sup>lle</sup> Charlotte n'a rien entendu.

— Qui d'autre veut se joindre à nous ? a-t-elle demandé.

Quelques minutes plus tard, le nombre de joueurs avait doublé. Même Fiona Falbala, qui a toujours peur de se briser un ongle, était descendue de l'estrade. À croire que M$^{lle}$ Charlotte les avait tous hypnotisés.

Comme la veille, notre entraîneuse n'a rien dit de plus. On a formé les équipes et on a joué. C'est tout. Et comme la veille, il y avait quelque chose de magique dans l'air.

D'habitude, j'ai l'impression d'être une machine à gaffes. On dirait que le ballon se sauve dès que j'approche. Mais là, j'étais bien. Personne ne me criait d'ordres, personne ne me lançait d'injures. Et à ma grande stupéfaction, j'ai réussi deux fois à frapper le ballon. Sans compter de but, bien sûr, mais, comme dit M<sup>lle</sup> Charlotte, ce n'est peut-être pas le plus important.

Cette fois, j'étais dans la même équipe que Fred. Nous menions trois à deux lorsque M<sup>lle</sup> Charlotte a expédié le ballon hors du terrain. Pendant une partie de soccer, ça arrive souvent, c'est normal. Mais là, c'était différent. M<sup>lle</sup> Charlotte avait fait exprès. C'était flagrant !

Elle se tenait maintenant debout au milieu du terrain, les bras ballants, les yeux tournés vers l'horizon, l'air extasiée, comme si elle contemplait une apparition venue d'une autre dimension.

— Quel magnifique coucher de soleil ! s'est-elle exclamée au bout d'un moment.

Le ciel était splendide, en effet.

Mais Fred Ferros s'en contre-fichait.

— Je ne sais pas de quelle planète vous venez, mais nous, on s'entraîne pour remporter un match qui a lieu dans moins d'un mois. Et si ça continue, on va se faire massacrer parce que l'autre équipe a un vrai entraîneur. Qui crie, qui critique, qui dit quoi faire et même quoi manger.

Fred était déchaîné. Il s'est arrêté une demi-seconde pour reprendre son souffle, puis il a continué :

— Saviez-vous que Vincent Vaillant oblige ses joueurs à avaler un breuvage spécial deux fois par jour ? Je me suis renseigné. Il y a du lait de yak, des œufs crus, des protéines en poudre, des vitamines en granules et des racines chinoises dedans.

Tout le monde était catastrophé. On s'était tous bien amusés, mais on avait oublié ce qui nous pendait au bout du nez : le match contre l'école de la Baie-des-Bleuets ! Fred était peut-être de taille à les affronter. Mais pas moi. Ni Billy. Ni Fiona. Ni…

— Du lait de yak ? Ouache ! Ils peuvent boire du lait de gorille si ça leur plaît. Rien ne vaut le smalalamiam ! a déclaré M<sup>lle</sup> Charlotte, confiante.

Le smalalamiam ! On l'avait oublié.

M<sup>lle</sup> Charlotte a sorti une grande gourde de son sac. C'est Billy qui avait mérité le droit d'y goûter. Il a avalé une gorgée. Puis une autre. Et une autre encore.

— Alors ? a demandé Laurent.

Billy s'est arrêté :

— C'est le meilleur breuvage que j'ai jamais goûté, a-t-il déclaré.

# -4-

# Je t'aime, Anatole

Pendant le week-end, j'ai parlé à ma cousine Marie. Elle voulait tout savoir de M$^{lle}$ Charlotte. Marie a promis d'assister au grand match avec son père. Même s'ils habitent à des heures de route. Elle veut absolument revoir son amie Charlotte et aussi lui remettre un objet précieux, a-t-elle ajouté d'un ton mystérieux.

Marie m'a confié que Paulette Pénible avait téléphoné chez elle après avoir rencontré M$^{lle}$ Charlotte dans son bureau. Ce jour-là, Marie avait congé d'école. Quelle chance ! C'est donc elle qui a répondu. Sinon, PP aurait découvert qu'on l'avait roulée.

Notre directrice était très inquiète. Non seulement l'apparence de M^{lle} Charlotte ne lui avait-elle pas inspiré confiance mais, en plus, elle avait tenu des propos… surprenants. PP a demandé à M^{lle} Charlotte quel était le secret de la victoire au soccer. Et notre entraîneuse a répondu : le *spling* ! Après le départ de M^{lle} Charlotte, PP a cherché le mot « *spling* » dans le dictionnaire. Sans succès. Le mot n'existe pas !

J'en ai profité pour expliquer à Marie que PP n'était pas la seule à s'interroger sur M^{lle} Charlotte. Des parents l'auraient vue pique-niquer devant la fontaine sur la place publique près de l'hôtel de ville. Personne n'oserait s'installer là pour pique-niquer ! Et M^{lle}

Charlotte ne s'était pas contentée d'apporter un sandwich. Elle avait étendu une nappe à carreaux, déposé un petit vase avec des fleurs et allumé des bougies. C'était sûrement joli ! Mais en plein centre-ville ? !

Après les cours, lundi, Billy et moi, on s'est changés en quatrième vitesse et on a filé vers le gymnase. Il pleuvait trop fort pour qu'on joue dehors. En ouvrant la porte, on a reconnu la voix de M<sup>lle</sup> Charlotte. J'ai pensé qu'elle parlait peut-être avec PP. On s'est approchés et on a découvert notre entraîneuse en grande conversation… avec son ballon !

— Tu penses qu'ils peuvent comprendre ? Oui. Tu as raison. Il faut simplement leur donner du temps.

M^lle Charlotte a soupiré puis elle a flatté le ballon du bout des doigts.

— Je t'aime beaucoup, Anatole, a-t-elle ajouté. Mais je m'ennuie de ma belle amie Gertrude…

Il y a eu des gloussements. D'autres élèves avaient entendu M^lle Charlotte en grande conversation avec Anatole. J'étais gêné pour elle. Mais M^lle Charlotte ne semblait pas du tout embarrassée.

— Je suis contente de vous revoir! a-t-elle lancé. Et Anatole aussi. On discutait de vous justement.

— Vous discutiez… avec le ballon? a demandé Fiona.

— Bien sûr. C'est la meilleure façon d'apprivoiser le soccer, a déclaré M^lle Charlotte.

— Vraiment? Eh bien, moi, je

pense qu'il faut être complètement coucou pour parler à un objet, s'est exclamé Fred d'une voix méprisante.

M^{lle} Charlotte a fait comme si les paroles de Fred ne s'étaient pas rendues jusqu'à elle. Elle lui a offert un sourire radieux avant d'ajouter :

— Aujourd'hui, tout le monde apprivoise son ballon.

Elle a ouvert une boîte d'équipement et en a sorti tout plein de ballons. Il y en avait un pour chacun.

— Amusez-vous ! a-t-elle lancé joyeusement.

Cette fois, elle ne s'est pas jointe à nous. Elle s'est installée dans un coin du gymnase et elle a sorti un petit livre de la poche de sa robe. Quand je suis passé près d'elle, je l'ai entendue prononcer à haute voix des paroles étranges :

— Ah ! Comme la neige a neigé ! Ma vitre est un jardin…

La grammaire de cette phrase m'a semblé suspecte. Billy m'a expliqué qu'il s'agissait d'un poème. Un poème d'Émile Nelligan. Billy Bungalow est vraiment *bolé* ! Et M^lle Charlotte… vraiment pas ennuyante !

# -5-

# Le célèbre professeur Martinonini

Une heure plus tard, la plupart des enfants avaient donné un nom à leur ballon. Martin et Éric jouaient avec le leur comme si c'était une balle d'aki. D'autres échangeaient des passes en utilisant leur poitrine, leur tête ou leurs fesses. Allongées sur le dos, Fiona et ses amies se lançaient leur ballon du bout des pieds en jacassant comme des pies. Et Laurent, qui fréquente l'école de cirque, jonglait avec le sien sans jamais utiliser ses mains.

Le plus drôle, c'étaient les conversations.

— Lance-moi Bilbo !

— Attrape King Kong.

— Je te ramène Philomène…

— As-tu vu Wilfred ?

L'atmosphère était hilarante. Et le plus extraordinaire, c'est que j'avais vraiment l'impression que Patate – c'est le nom de mon ballon – était de moins en moins un étranger. Il faisait un peu plus partie de moi maintenant.

On s'amusait vraiment bien quand soudain un grand cri d'hystérie a traversé le gymnase. Comme si quelqu'un venait de tomber d'un cent vingt douzième étage.

C'était PP. Accompagnée de Fred. Le traître ! Il était allé la chercher pour lui montrer les méthodes d'entraînement un peu inhabituelles de M$^{\text{lle}}$ C.

— Arrêtez immédiatement ce carnaval ! a rugi la directrice. Êtes-vous tous devenus fous ?

Là, PP a découvert M<sup>lle</sup> Charlotte au fond du gymnase, le nez plongé dans son recueil de poésie.

— Vous ! Vous êtes une impostrice… non ! une imposteuse… En tout cas, vous n'êtes pas une vraie entraîneuse. Ou alors, moi, je suis la fée des dents !

Plus personne ne bougeait. Plus personne ne parlait à son ballon. On était tous consternés. M<sup>lle</sup> Charlotte allait se faire renvoyer !

C'est là que Laurent a eu une idée.

— Madame la directrice, a-t-il commencé d'un ton hyper-sérieux et archi-poli. Vous êtes peut-être un peu inquiète parce que nous parlons à un ballon. C'est normal ! Les méthodes d'entraînement de

M<sup>lle</sup> Charlotte sont très très très… modernes ! Elles viennent tout juste d'être inventées par le célèbre professeur Martinonini de l'université de…

Là, le pauvre a hésité. Mais PP était tellement étonnée qu'elle n'a pas remarqué.

— … de l'université de Rome en Italie, a-t-il continué. L'idée, c'est de développer une relation… intime avec le ballon. Pour mieux performer. Pour mieux… gagner !

Pendant un moment, PP a hésité. Heureusement, Laurent avait eu le génie d'utiliser les bons mots clés : performer et gagner. Alors, finalement, PP a bredouillé des excuses, elle nous a souhaité une bonne pratique et elle s'est éclipsée.

Fred était furieux.

— Ça va peut-être pour l'instant, mais PP va revenir. Et la prochaine fois, elle va exiger un plan d'entraînement.

— Un plan d'entraînement ? Ça tombe un peu mal, parce qu'on n'en a pas… a admis M^lle Charlotte en se tournant vers moi.

Mes camarades ont noté que M^lle Charlotte me regardait. Tous les yeux étaient maintenant braqués sur ma pauvre personne. Comme si je détenais la solution !

Et puis soudain, j'ai eu une révélation. Ce qui nous manquait le plus, c'était de la stratégie. Et ça, justement, c'est ma spécialité. Je ne comprenais pas comment M^lle Charlotte avait fait pour le deviner mais tant pis.

— Billy et moi, on s'occupe du plan d'entraînement, ai-je annoncé en me demandant si c'était bien moi qui venais de parler.

Un grand rire a retenti dans le gymnase.

— Jérémie Pourri, l'as de la stratégie ! s'est moqué Fred Ferros.

Normalement, ses insultes m'auraient démoli. Mais là, j'ai suivi l'exemple de M{}^{lle} Charlotte. Et les moqueries de Fred ne se sont pas rendues jusqu'à moi.

# Oupilaille
# en Floride

— T'es complètement malade ! s'est lamenté Billy tout le long de la route jusque chez moi.

J'ai dû lui expliquer mon idée.

— Toi, Billy, tu vas écrire un faux plan d'entraînement pour rassurer PP. Un plan comme celui de Vincent Vaillant, avec des tas d'exercices épuisants.

— Pendant que toi, tu vas faire quoi ?

— Moi, je vais inventer un plan stratégique. Un plan sur mesure pour une équipe avec des joueurs poches comme toi et moi.

L'idée était chouette, mais j'ai eu beau me creuser la cervelle durant une heure, je n'arrivais pas à trouver de stratégie brillante. J'imaginais déjà Fred Ferros riant aux éclats et hurlant :

— Jérémie Pourri pas de stratégie ! Jérémie Pourri sans génie !

Je pensais aussi à mon père. Si je ne trouvais pas d'idée pour améliorer mon jeu, il risquait de m'humilier devant tout le monde au cours du match. Je le sais, je le connais. C'est déjà arrivé avant.

Pendant les parties, mon père s'enflamme. On dirait qu'il ne s'en aperçoit même pas. Il se met à crier :

— Grouille-toi, Jérémie ! Sors de la lune ! Force-toi un peu, bon Dieu !

Au bout d'un moment, ça empire. Alors, il hurle :

— Non! Ce n'est pas ça! Ah non! Jérémie! t'es nul!

Les mots cognent dans ma tête longtemps après. Je n'entends plus que ça: nul nul nul nul...

Je commençais à avoir mal au ventre, comme chaque fois que j'ai peur ou que je suis inquiet, quand soudain j'ai pensé à M$^{lle}$ Charlotte. Je me suis demandé ce qu'elle inventerait, elle. Je l'ai revue qui riait et sautait de joie sur le terrain en discutant avec Anatole. Et je nous ai revus dans le gymnase en conversation avec King Kong et Kiwi. Et là, enfin, j'ai eu une idée.

J'en ai parlé à Billy. D'abord, il a éclaté de rire. Mais tout de suite après, il m'a félicité.

— T'es un vrai génie, Jérémie.

— Notre objectif est simple, ai-je expliqué le lendemain devant les joueurs réunis sur le terrain.

Il faut déstabiliser l'adversaire, distraire son attention, briser sa concentration… et lui faire oublier qu'on veut compter des buts.

Ils me regardaient tous comme si j'avais la cervelle trouée. Tous, sauf M<sup>lle</sup> Charlotte. J'ai puisé du courage dans ses yeux couleur de ciel.

— D'abord, ceux qui sont capables vont offrir un spectacle. Quand on apprivoisait notre ballon, Éric et Martin ont fait des acrobaties comme s'ils jouaient avec leur balle d'aki.

J'ai continué en donnant d'autres exemples. J'avais vu Fiona exécuter une pirouette en tenant le ballon entre ses jambes. Quand elle n'est pas trop occupée à se pâmer devant Fred Ferros, Barbie suit des cours de danse. Et j'avais été épaté par les jongleries de

Laurent avec Oupilaille. C'est le nom de son ballon !

— Si je comprends bien, au lieu d'une partie de soccer, on va offrir un numéro de cirque, a grogné Fred.

Je l'ai rassuré :

— Toi, Fred, tu vas jouer au soccer. C'est sûr ! Tout le monde sait que tu es le meilleur. On ne peut pas se passer de toi. Le but de ma stratégie, c'est de t'aider à marquer le plus de buts.

Fred avait maintenant les yeux ronds et la bouche ouverte comme un poisson.

— Autour de toi, il va y avoir du cirque, de la danse… et du théâtre. D'abord, chacun va porter le nom de son ballon. En plus, on va utiliser un code pour communiquer.

Je cherchais un exemple. J'ai

pensé au dernier cours de la journée : géographie.

— Disons que notre but à nous, c'est... l'Arctique, là-bas, au bout du terrain. Et celui de nos adversaires, c'est l'Antarctique, tout au sud, à l'autre extrémité. Entre les deux, il y a les Amériques. L'Amérique du Nord, qui est plus près de l'Arctique, c'est chez nous. L'Amérique du Sud, chez nos adversaires. Il va falloir apprendre quelques noms de pays et se souvenir de l'endroit où ils se trouvent... Comme ça, si Fiona crie « Passe à Oupilaille en Floride », on va savoir dans quelle direction envoyer le ballon. Mais l'autre équipe va être complètement perdue !

Tout le monde a applaudi mon plan. Tout le monde, sauf Fred.

— Wooooooooooooo! Un instant! a beuglé notre joueur-vedette.

J'ai tout de suite senti une odeur de catastrophe.

— Jérémie Génie peut-il nous expliquer quelle stratégie on va utiliser pour choisir les joueurs le jour du match?

C'est comme si Fred venait de nous arroser à l'eau glacée. Dans ma tête, j'ai pensé: nul, nul, nul Jérémie. Fred avait raison de s'inquiéter. J'avais complètement oublié qu'une équipe de soccer normale comprend onze joueurs. Pas plus.

Depuis l'arrivée de M$^{lle}$ Charlotte, le nombre de joueurs avait presque triplé. Elle avait accepté Billy, Nadia, Fiona, Éric, Monica et plein d'autres enfants. Certains jouaient très bien, d'autres beaucoup moins.

Grâce à M<sup>lle</sup> Charlotte, tout le monde s'amusait et chacun avait l'impression d'avoir sa place dans l'équipe. Mais le jour du match, seulement onze d'entre nous pourraient jouer. On n'y peut rien. C'est le règlement.

Cette fois, tous les regards se sont tournés vers M<sup>lle</sup> Charlotte. C'est elle qui devait trouver une solution. Et franchement, je ne voyais pas comment !

M<sup>lle</sup> Charlotte ne disait rien. Pourtant, elle ne semblait pas du tout découragée.

— Alors, l'asperge, qu'est-ce qu'on fait ? a lancé Fred sur un ton de défi. On déguise les joueurs de trop en fantômes ? Ou on les recouvre de peinture invisible ?

M<sup>lle</sup> Charlotte a éclaté de rire. Comme si Fred avait lancé la meilleure blague du monde.

— Mais non, voyons! C'est tout simple. Il existe une belle solution.

Nous étions tous pendus à ses lèvres. Qu'allait-elle encore inventer? M$^{lle}$ Charlotte attendait qu'on devine. Mais franchement, on ne trouvait pas de réponse.

— Le jour du match, nous allons tirer au sort le nom des joueurs, comme à la loto ou au bingo. Voilà! a-t-elle déclaré en haussant les épaules avec l'air de dire que, vraiment, on aurait pu y penser avant.

# -7-

# Du *spling*, s'il vous plaît

Un tirage ! On était tous un peu en état de choc.

— J'ai une meilleure solution, a annoncé Fred. On choisit les onze meilleurs joueurs… et on se débarrasse de l'entraîneuse !

Tous les regards se sont à nouveau tournés vers M^{lle} Charlotte. Elle n'était pas furieuse ni insultée. Elle a continué de caresser doucement Anatole en nous observant tranquillement.

— Alors, qui est d'accord ? a demandé Fred. On se fait une vraie équipe ?

— L'idée de Fred n'est pas mauvaise, a admis Jasmine. Ça dépend de ce qui, pour nous, est le plus important. Remporter le match ? Ou donner une chance à tout le monde ?

On s'est tous mis à parler en même temps. Les avis étaient partagés. Puis, Éric a fait valoir que l'idée d'un match, c'est quand même de gagner.

— Sinon, il n'y aurait que des entraînements, a-t-il ajouté.

La plupart des joueurs semblaient d'accord. Fred en a profité pour demander qu'on vote. M$^{lle}$ Charlotte ne disait toujours rien.

Devant moi, Billy mâchouillait nerveusement un caramel mou. J'avais remarqué qu'il en mangeait moins maintenant. Et je savais qu'il s'entraînait à la course à pied tous les matins. Billy faisait tout ce qu'il pouvait pour améliorer son jeu. Il rêvait d'avoir sa chance. Tout comme Nadia. Depuis l'arrivée de M^lle Charlotte, la toute petite Nadia, surnommée le microbe, avait découvert qu'elle avait du talent avec un ballon noir et blanc.

— Dites quelque chose ! ai-je lancé à M^lle Charlotte.

Elle a sursauté. Comme si elle revenait de loin. Elle a promené ses yeux bleu ciel parmi nous. Puis, elle nous a parlé.

— Anatole et moi, on a remporté plein de trophées, nous a-t-elle confié. Pas vrai, Anatole ? Mais un jour, il est arrivé un événement… Et là, on a compris. C'est tout.

— Qu'est-il arrivé ? a demandé
Laurent.

— Et qu'avez-vous compris ? a
ajouté Fiona.

— Nous avons compris que le
plus important, c'est le *spling*, a
expliqué M^lle Charlotte en igno-
rant la question de Laurent.

Plusieurs voix se sont élevées
en même temps :

— Le quoi ?

M^lle Charlotte a rigolé.

— *Le spling…* c'est… la joie. La
joie du jeu. La passion du ballon.
Le bonheur de tout donner. Et pas
juste dans le but de gagner. Dans
le but de bien jouer.

Il y avait quelque chose d'exci-
tant et aussi de réconfortant dans
les paroles de notre entraîneuse.
On l'écoutait tous très attenti-
vement.

— Pour moi, comme pour Anatole, a poursuivi Mlle Charlotte, la plus belle équipe n'est pas celle des meilleurs compteurs. C'est celle dans laquelle il y a le plus de ferveur, de passion, d'ardeur…

— Bon. Ça suffit les discours, a déclaré Fred. C'est le temps de voter.

Alors on a tous voté, en secret, sur des petits bouts de papier, pour que personne ne soit gêné. Puis, Jasmine et Monica ont compté les billets.

Chacun d'entre nous se demandait comment les autres avaient voté. Bientôt, Monica s'est avancée pour donner les résultats.

— Trois… contre vingt-trois, a-t-elle annoncé.

On attendait des précisions. Trois… pour qui ?

— Trois pour Fred et vingt-trois

pour M<sup>lle</sup> Charlotte, a expliqué Monica.

J'ai cru qu'il me poussait des ailes. J'étais vraiment content. Jusqu'à ce que Fred nous assomme avec deux petites phrases.

— Je démissionne. Je ne fais plus partie de l'équipe, a-t-il déclaré en s'éloignant.

# -8-

# La réponse est dans le ciel

Tout le monde était sonné.

— C'est la catastrophe ! a gémi Mélodie.

— Là, on est vraiment, mais vraiment totalement dans le pétrin, a conclu Martin. Sans Fred, on va se faire massacrer.

— Le mieux, c'est d'annuler le match. On s'en fout, que leur école porte le nom de Tony Brillant, a suggéré Fiona.

La proposition avait du sens. Même que plus on y réfléchissait, plus ça paraissait évident. Pour nous…

— Annuler le match !? Jamais ! a déclaré M^lle C. tout à coup. Et pourquoi ? Nous allons vivre un moment… fabuleux !

Le pire, c'est qu'elle avait l'air d'y croire. Ses yeux brillaient et elle semblait excitée comme une puce.

— Ah oui ? Vous ne comprenez donc pas, s'est impatienté Martin. C'est Fred qui compte presque tous les buts. Alors comment on va faire pour se débrouiller sans lui ?

M^lle Charlotte ne semblait même plus nous écouter. Les yeux levés vers le ciel, elle contemplait un vol d'oiseaux.

— Des outardes, a précisé Billy à mon oreille.

Notre entraîneuse s'est enfin souvenue qu'on existait. Mais au lieu de nous rassurer, elle a simplement lancé :

— La réponse est dans le ciel...

Et pfuiit ! Elle est partie !

-9-

# Jus de sauterelles pour tous

Le lendemain, on est tous arrivés à l'entraînement déprimés. Et pas seulement parce qu'on n'avait pas trouvé de réponse dans le ciel. Fiona avait eu des nouvelles de Fred. Des nouvelles désastreuses ! Le traître allait jouer pour nos ennemis ! Sa mère habite à l'Anse-aux-Canards et son père à la Baie-des-Bleuets, alors Fred peut jouer où il veut. Il a le droit.

On était faits. Frits. Cuits. Finis. Nos adversaires allaient nous mettre en bouillie.

— Vous avez grand besoin d'un petit remontant, a déclaré M$^{lle}$

Charlotte en nous voyant arriver.

Elle a ouvert son sac et en a tiré plusieurs gourdes :

— Du smalalamiam pour tout le monde !

On a fait la queue. Comme dans Astérix lorsque le druide distribue la potion magique. Pendant qu'on attendait notre tour, chacun essayait de deviner ce que M$^{lle}$ Charlotte mettait dans sa potion. Personne n'osait le lui demander. On sentait que c'était secret. Laurent, qui aime bien dire des niaiseries, a suggéré que c'était sûrement un mélange de jus de fruits… et de pipi !

Chacun a eu sa ration. Le goût était à la fois étrange et merveilleux. Tout le monde s'entendait pour dire que le smalalamiam était délicieux.

— Alors, qui a trouvé une

réponse dans le ciel ? a finalement demandé M<sup>lle</sup> C.

Billy a levé la main comme si on était en classe.

— Pour gagner, il faut imiter les outardes, a-t-il répondu d'un ton très assuré.

Comme personne ne comprenait, il a dû expliquer.

— Les outardes réussissent à voler très vite et très longtemps en se relayant. Elles forment un grand V dans le ciel pour mieux affronter le vent. Les oiseaux qui sont à l'avant travaillent plus fort, mais ils sont vite remplacés par d'autres qui sont moins fatigués.

— O. K. Mais… c'est *quoi*, le lien avec le soccer ? a demandé Miranda.

— Le lien ? Mais c'est l'entraide ! a expliqué M<sup>lle</sup> C. avec enthousiasme. Si elles volaient seules, les outardes ne réussiraient jamais leurs exploits. Elles y parviennent en s'associant.

La stratégie était ingénieuse. J'étais fier de notre entraîneuse.

— M<sup>lle</sup> Charlotte a raison, ai-je ajouté. Aucun de nous, seul, ne pourrait remplacer Fred. Mais si on s'unit, ça peut fonctionner. Il va falloir changer souvent de position et faire beaucoup de passes. Chacun doit donner tout ce qu'il peut.

On a décidé d'essayer. Là, tout de suite, malgré la fine pluie qui s'était mise à tomber. Au début, chacun essayait d'aller le plus loin avec le ballon. C'est normal, on avait toujours joué comme ça. Mais peu à peu notre jeu a changé. Quand Monica m'a fait une passe, j'ai couru le plus vite possible en poussant le ballon entre mes jambes.

Puis, j'ai fait une passe à Éric. Éric a fait une passe à Fiona, Fiona à Laurent et… on a marqué un but.

Un but d'entraide.


À partir de ce jour, tous les joueurs ont réalisé d'énormes progrès. Était-ce grâce au smalalamiam que nous servait M$^{lle}$ Charlotte avant chaque entraînement ? à la stratégie des outardes ? ou aux techniques de divertissement ?

On continuait de s'amuser à deviner ce que M$^{lle}$ Charlotte mettait dans sa potion magique. Sûrement pas du lait de yak en tout cas ! De temps en temps, Fiona nous donnait des nouvelles de Fred et des autres buveurs de lait de yak. On avait tous compris qu'il y avait de l'amour dans l'air entre Fred et Fiona.

À première vue, Fred n'était pas

si heureux chez nos ennemis. Fiona racontait que Vincent Vaillant n'arrêtait pas de hurler des ordres. Il n'était jamais content, jamais encourageant. Nous, c'était tout le contraire. Avec M<sup>lle</sup> Charlotte, on ne se sentait jamais poche ni moche. Sauf le jour où Martin a traité Éric de gros zozo…

Martin voulait seulement faire enrager Éric pour mieux lui enlever le ballon. Mais Éric a répliqué en traitant Martin de retardé. Après, ils ont commencé à se frapper. Rien de bien surprenant.

Sauf qu'en découvrant ça, M<sup>lle</sup> Charlotte est devenue… comme morte. On aurait dit que quelqu'un lui avait retiré ses piles. Elle est restée un long moment sans bouger. Statufiée. Tellement qu'on a eu peur et Laurent a séparé les deux batailleurs.

Alors, M^lle Charlotte est rede-venue normale. Enfin, presque. On aurait dit que quelque chose en elle s'était éteint. Elle a fait quelques pas puis elle a déclaré que l'entraînement était terminé. Pourtant, on venait juste de com-mencer !

Avant de nous quitter, notre entraîneuse s'est adressée à Éric :

— La prochaine fois, ne gaspille pas ta colère. C'est un formidable carburant.

Éric ne comprenait pas. Encore une fois, Billy a dû expliquer :

— La prochaine fois, au lieu de frapper Martin dans le front, frappe le ballon dans le filet.

Le lendemain, M^lle Charlotte semblait tout à fait mieux. Quant à nous, on avait compris que les batailles étaient défendues. Dans le livre de règlements de M^{lle} Charlotte, l'harmonie était bien plus importante que le nombre de joueurs.

Mais une semaine plus tard, un autre drame, encore plus grave, a éclaté. On simulait le grand match avec deux équipes tirées au sort. J'étais spectateur, Billy aussi. Et on n'était pas trop déçus, car le match était passionnant.

Pendant que Nadia courait sur le terrain, quelqu'un a crié :

— King Kong au Québec.

Pierre-Luc a attrapé le ballon pour faire une passe à Laurent. Éric a tenté de l'intercepter, mais Laurent s'est mis à jongler avec le ballon. Quel spectacle ! C'était tellement bon qu'on en a oublié la partie. Tout le monde l'a applaudi.

C'est là que l'orage a éclaté. Pas dans le ciel. Sur le terrain.

C'était PP.

# -10-

# Le grand secret de M<sup>lle</sup> C.

La colère de notre directrice la transformait en ouragan. Qui fonçait droit sur M^{lle} C.

— Espèce de vieux salsifis! Tête de noix! Grande nigaude! hurlait-elle à pleins poumons en s'approchant de notre entraîneuse.

M^{lle} Charlotte attendait. Elle ne semblait pas du tout intimidée. On aurait plutôt dit qu'elle avait pitié de PP.

Arrivée à quelques centimètres du nez de M^{lle} C., notre directrice l'inondait encore d'injures. C'est là que notre entraîneuse nous a surpris. Encore une fois !

— Pauvre cocotte ! s'est exclamée M<sup>lle</sup> Charlotte en contemplant Paulette Pénible.

M<sup>lle</sup> Charlotte gardait les yeux vissés sur notre directrice et il y avait beaucoup de… de tendresse dans son regard. Oui, je pense que c'est le bon mot.

La colère de PP a tombé. Au bout d'un moment, notre directrice semblait seulement triste. Et perdue.

Alors, M<sup>lle</sup> Charlotte lui a ouvert ses bras.

Et là, croyez-le ou pas, PP s'est jetée dedans. Pas pour frapper M<sup>lle</sup> Charlotte ou pour l'injurier. Pour être consolée !

Notre directrice braillait maintenant comme une enfant.

— Bouhou ! Snif, snif. Bouhouhou ! Snif, snif. Bouhou !

M$^{lle}$ Charlotte a entraîné PP derrière un bouquet d'arbres à l'extrémité du terrain. Nous, on n'en revenait pas.

Fiona a été désignée pour épier PP et M$^{lle}$ C. Au bout d'un moment, elle est revenue et elle nous a tout raconté. Quelle histoire! Les adultes sont parfois bien compliqués.

Paulette Pénible a confié à M$^{lle}$ C. pourquoi elle voulait à tout prix remporter la victoire. Elle ne tenait pas tant que ça à ce que son école porte le nom de Tony Brillant. Ce qu'elle souhaitait réellement, ce qu'elle désirait plus que tout, c'était simplement être meilleure que sa sœur.

Paula et Paulette sont jumelles. Personne ne sait laquelle des deux est née en premier. Paula jure que c'est elle. Et Paulette soutient le contraire. Depuis qu'elles sont nées, chacune veut toujours être la première, la plus belle, la meilleure.

M^lle Charlotte a longuement écouté notre directrice. Sans dire un mot. Quand PP a semblé aller mieux, M^lle C. lui a confié un secret. Un secret qui a complètement transformé notre directrice.

— Vous n'avez plus à vous disputer avec votre sœur, madame Paulette, lui a expliqué M^lle C. Ce n'est pas nécessaire d'être la meilleure. Vous êtes unique, entendez-vous ? Et ça, c'est déjà bien assez.

Sur le coup, PP a dévisagé M^lle Charlotte comme si cette dernière avait le visage vert et deux antennes sur le front. Puis, peu à peu, un sourire est venu éclairer son visage. Et finalement, PP s'est mise à sourire franchement en contemplant M^lle Charlotte comme si notre entraîneuse venait de lui offrir un trésor.

Pendant que Fiona nous rapportait ça, j'ai entendu du bruit derrière nous. C'était Fred. Le traître-espion de la Baie-des-Bleuets !

Je l'ai vu s'éclipser en douce. Personne d'autre ne l'avait remarqué.

Je me suis demandé si Fred avait entendu le grand secret de M^lle C. Et ce qu'il pouvait bien en penser.

# -11-

# Le super botté de défoulement

Le matin du grand match, j'étais tellement nerveux que j'ai rangé le lait dans l'armoire et les céréales au frigo. J'allais partir lorsque mon père m'a intercepté :

— Bonne chance, fiston. Bon match…

J'ai espéré très fort que mon père s'arrêterait là. Qu'il n'y aurait pas de menaces ni de pression. Mais non ! Il a ajouté :

— Arrange-toi pour ne pas me faire honte ! Sinon…

Il a pris un moment pour réfléchir avant de compléter sa phrase :

— Sinon, c'est moi qui vais te servir d'entraîneur pendant les vacances. Et là, crois-moi, tu vas t'améliorer ou alors je ne m'appelle pas Roger !

L'avertissement de mon père m'a complètement aplati. Jamais je ne survivrais à un tel été. Puis, j'ai songé que je n'étais même pas sûr de jouer. Ça, mon père ne s'en doutait pas. J'allais peut-être m'en tirer…

À mon arrivée sur le terrain, Laurent a hurlé :

— Tout le monde est là. On peut piger.

M$^{lle}$ Charlotte a plongé une main dans un vieux sac de chips contenant tous nos noms.

Pauvre Billy ! Son nom n'a pas été pigé. Le mien, par contre, est sorti.

Ça m'a un peu découragé. À

cause de la présence de mon père. Sinon, j'aurais presque été content de jouer.

Avant même le début du match, la différence entre les deux équipes nous a frappés. Pendant qu'on se régalait de smalalamiam – personne n'avait encore trouvé les ingrédients secrets de la recette ! – les autres faisaient la grimace en avalant leur jus de yak. Après, pour nous aider à relaxer, M^{lle} Charlotte nous a posé une devinette :

— Qu'est-ce qui est invisible et sent la banane ?

Pendant qu'on riait de la réponse (un pet de singe !), les joueurs de l'autre équipe s'essoufflaient à courir autour du terrain. Et alors que M^{lle} Charlotte nous enseignait à donner des massages en répétant que l'important, c'était de bien jouer et de s'amuser, Vincent

Vaillant gueulait :

— Vous êtes ici pour gagner. Que je n'en voie pas un l'oublier !

Sa voix était menaçante et son regard terrifiant. À ses côtés, Paula Pénible n'était pas plus encourageante. J'aurais préféré cent fois faire le ménage de ma chambre pendant toute une journée plutôt que jouer dans l'autre équipe.

Le match a enfin débuté. Nos adversaires étaient dans une forme redoutable. Ils fonçaient sur le ballon comme si leur vie en dépendait. Pierre-Luc, notre gardien de but, avait beau courir et bondir pour arrêter le ballon au filet, nos adversaires ont rapidement marqué trois buts.

Soudain, quelqu'un a crié :

— Oupilaille en Floride !

Suivi de :

— King Kong au Québec !

Et là, quelque chose de presque magique s'est produit. On s'est sentis unis. Et uniques. Ça nous a donné beaucoup d'énergie.

Les passes se sont multipliées. Fiona a intercepté le ballon et tous les spectateurs sont tombés sous le charme de sa pirouette d'étoile de ballet. De nombreux parents se demandaient ce qui se passait, mais le match était captivant.

Que faisait M^lle C. pendant ce temps ? Elle tricotait ! Oui, oui. Elle tricotait à folle allure un foulard dont la longueur était déjà digne d'un record Guinness. Et plus le match se corsait, plus ses aiguilles à tricoter cliquetaient rapidement. C'était vraiment drôle à voir. À un moment, j'ai surpris le regard de Fred. Il était totalement halluciné par la scène, mais j'aurais presque juré qu'il souriait.

Nos adversaires étaient de plus en plus déroutés. Quand Laurent a fait ses prouesses, ils ont été tellement distraits qu'on a pu marquer un premier but. Et peu après, un deuxième.

L'autre équipe menait quatre à deux quand le ballon m'a frôlé.

— Réveille-toi, Jérémie, t'es pas dans ton lit ! a crié mon père assez fort pour que tout le monde entende.

Ça m'a scié en deux. J'étais furieux. J'ai cherché mon père dans la foule. Mon regard a croisé celui de M<sup>lle</sup> Charlotte. À ses côtés, j'ai reconnu PP. La nouvelle PP transformée, qui souriait comme jamais auparavant. Et Marie. Ma belle cousine amie. Ça m'a réconforté.

Là, quelqu'un a crié :

— Patate en Ontario !

Éric m'a fait une passe. Le ballon était tout près quand j'ai entendu :

— Grouille tes fesses, Jérémie !

C'était encore mon père.

De la fumée de dragon allait me sortir du nez lorsque je me suis souvenu du conseil de M$^{lle}$ C. : transformer la rage en carburant.

J'ai reculé d'un pas et j'ai frappé le ballon de toutes mes forces. Un super botté de défoulement !

La foule s'est mise à applaudir vivement. Je venais de marquer un but ! Pour la première fois de ma vie.

Après, tout s'est déroulé très vite. Fiona allait intercepter le ballon lorsqu'un joueur de l'autre équipe, une espèce de gros gorille, lui a fait un croc-en-jambe. Fiona est tombée et elle est restée allongée sur le sol.

Le jeu a été arrêté. Fiona était blessée. Une entorse au pied. La pauvre ne pouvait plus marcher. Il fallait la remplacer.

Le pire, c'est que l'arbitre n'a rien dit. Et au lieu de réprimander son gorille, Vincent Vaillant lui a donné des tapes dans le dos. Je le sais, je l'ai vu. J'ai aussi vu Fred se lever pour protester auprès de son entraîneur en gesticulant vivement.

Notre équipe s'est réunie autour de M^lle Charlotte et du vieux sac de chips. Il y avait de l'orage dans l'air. On était très fâchés contre le joueur coupable et aussi contre l'arbitre, qui n'avait pas réagi.

M^lle Charlotte se préparait à piger un nom quand quelqu'un a crié:

— Non. Attendez !

C'était Fred. Il était revenu. Il en avait assez de Vincent Vaillant et du gorille qui avait blessé sa bien-aimée.

On a vite ajouté le nom de Fred sur un bout de papier. La tension était forte. On avait envie d'écraser nos ennemis. Tout le monde souhaitait que le billet de Fred soit pigé. Tout le monde, sauf peut-être Billy. Billy gardait espoir de réaliser son rêve. D'avoir enfin sa chance.

M$^{lle}$ Charlotte a plongé une main dans le sac, en a retiré un petit billet, l'a déplié et…

— Fred Ferros ! a déclaré M$^{lle}$ C.

Pendant un bref moment, j'ai songé qu'elle avait fait exprès pour piger le nom de Fred. Mais je n'ai pas eu le temps de mijoter ça longuement parce que Fred a aussitôt déclaré :

— On va les massacrer !

# -12-

## Buts et bisous

Personne n'a bougé. Quelque chose dans le ton de Fred nous avait frappés. Encore une fois, M<sup>lle</sup> Charlotte n'a rien dit. Mais dans ses yeux, on pouvait lire sa déception. Ses yeux nous disaient que toutes ces semaines d'entraînement, tous ces litres de smalalamiam ne devaient pas mener à ça.

Près de nous, Fiona était installée sur un banc, la jambe relevée, un sac de glace sur le pied. Fred l'a regardée avant de s'adresser à M<sup>lle</sup> C.

— Qu'avez-vous de mieux à suggérer ? a-t-il demandé.

— La meilleure façon de vous venger, ce serait de vraiment, mais vraiment… vous amuser ! a répondu M$^{lle}$ C.

— Elle a raison. Au lieu de faire comme eux, on devrait leur montrer comment on peut être heureux sur un terrain de soccer.

C'est moi qui venais de dire ça.

— Alors, Fred, qu'en penses-tu ? a demandé Fiona, les yeux brillants et le sourire invitant.

— Bon… D'accord ! a déclaré Fred. On va leur montrer qu'en plus de savoir jouer, nous, on sait s'amuser.


M$^{lle}$ C. avait raison. Ce fut un match fabuleux. Monica a chanté un bout de sa chanson préférée en faisant bondir le ballon entre ses pieds. Nicolas nous a surpris avec deux culbutes arrière et Théo avec un saut spectaculaire. Fred a traversé plusieurs fois le terrain à toute vitesse en déjouant tous nos adversaires. Et les autres joueurs se sont bien divertis en multipliant les passes et les appels. En code secret, bien sûr.

On s'est défoulés, on a ri, sauté, crié. Et Fred a compté un but. Mais, surtout, on s'est vraiment mais vraiment bien amusés. Nos adversaires semblaient abattus. Comme si notre joie les déprimait totalement. Peut-être découvraient-ils enfin à quel point ils n'étaient pas bien. À quel point ils passaient à côté de la beauté du jeu.

Le compte était maintenant à égalité. Il suffisait que Fred envoie à nouveau le ballon dans le filet pour qu'on gagne la partie.

— Vas-y, Fred! l'a encouragé Fiona depuis l'estrade.

Fred s'est retourné pour voir sa bien-aimée. Mais, en route, son regard a croisé celui de Billy. Alors, Fred s'est élancé vers le ballon… et il s'est étalé de tout son long.

Le jeu a été arrêté une nouvelle fois. Personne ne comprenait ce qui était arrivé.

Fred s'est relevé. Il n'a même pas fait semblant de boiter. Il est allé droit vers Billy:

— Tiens! C'est à ton tour! a-t-il déclaré en retirant son chandail pour le donner à Billy.

L'affaire était parfaitement claire. Fred n'était pas blessé. Il voulait simplement donner sa chance à Billy!

Billy Bungalow bégayait. Il n'en croyait pas ses yeux.

— Allez ! Grouille avant que je change d'idée, a grogné Fred en le poussant vers le terrain.

Nos adversaires ont repris courage en découvrant que Fred avait été remplacé. Ils sont passés à deux cheveux de compter le but gagnant. Pierre-Luc a arrêté le ballon de justesse.

C'est là qu'une voix s'est élevée de l'estrade. Une voix qu'on n'avait pas encore entendue.

— Vas-y, Billy ! Tu es capable ! a crié M$^{\text{lle}}$ Charlotte avec toute la confiance du monde.

Trois minutes plus tard, Billy bottait le ballon dans le filet.

On avait gagné ! La foule était en délire et Billy semblait flotter sur un nuage. Jamais de ma vie je n'avais vu quelqu'un d'aussi heureux. Pendant qu'on sautait comme des singes pour exprimer notre joie, Fred s'est frayé un chemin jusqu'à Fiona. Et là… là… il a posé un petit bisou doux sur sa joue !

# Épilogue

Notre directrice nous a félicités chaudement. Et elle nous a invités à trouver nous-mêmes un nom à notre école. Personne ne tenait tant à celui de Tony Brillant. Laurent a immédiatement eu une idée :

— L'Académie Smalalamiam ! a-t-il suggéré.

Fiona en a profité pour supplier M<sup>lle</sup> Charlotte de nous dévoiler la recette secrète du smalalamiam. On avait réussi à deviner qu'il contenait du jus de pêche, du miel et de l'eau de rose, mais il nous manquait au moins un ingrédient pour expliquer son effet.

— Vous n'avez pas trouvé ? s'est étonnée M<sup>lle</sup> C. L'ingrédient secret, c'est le *spling* !

Mon père est venu me féliciter. Il m'a donné une petite tape dans le dos en déclarant :

— Je le savais que je finirais par faire de toi un marqueur !

J'ai eu très envie de répliquer que si jamais c'était le cas, ce n'était sûrement pas grâce à lui. J'ai observé mon père. Il était vraiment fier de moi. Pas parce que j'avais tout donné : parce que j'avais marqué un but.

D'un coup, tout est devenu clair. Alors, j'ai réuni mon courage et je lui ai annoncé :

— Je ne serai jamais un grand marqueur, papa. J'aime jouer, c'est tout. Mais je suis un as stratège. L'année prochaine, je serai assistant-entraîneur.

Mon père n'a pas répliqué. Je pense qu'il était trop surpris de me découvrir aussi décidé.

Marie m'attendait dans l'estrade. Elle était seule. Dans sa main, elle tenait un caillou. Elle semblait très émue.

— Je te présente Gertrude, a-t-elle annoncé d'une voix solennelle.

En faisant de grands efforts pour ravaler son émoi – je la connais ! –, ma cousine m'a expliqué que Gertrude n'est pas une simple roche. C'est la grande confidente de M$^{lle}$ Charlotte. Marie en avait la garde depuis un bon moment. C'était ça, l'objet précieux dont elle m'avait déjà parlé sur un ton mystérieux.

— M$^{lle}$ Charlotte avait hâte de la retrouver, a raconté Marie. Mais elle a décidé de te la confier. C'est elle qui m'a chargée de te la remettre…

J'ai mis un moment à comprendre.

— Ça veut dire qu'elle est partie ?

Marie a fait signe que oui.

Je me suis senti abandonné et perdu. Je découvrais tout à coup quelle grande place M$^{lle}$ C. avait prise dans ma vie.

Marie a compris ce que je ressentais. Elle a ouvert ma main et elle y a déposé Gertrude. J'ai immédiatement senti qu'il y avait un peu de M$^{lle}$ Charlotte dans cette roche.

Je parle souvent à Gertrude. Surtout quand mon père met trop de pression. Gertrude me rappelle les paroles de M$^{lle}$ C. Je me souviens alors que je n'ai pas à être le meilleur. Je suis unique. Ça suffit.

M<sup>lle</sup> Charlotte a raison. Je le sais.

Comme je sais qu'un jour, bientôt peut-être, elle va réapparaître dans ma vie.

## Fiches d'exploitation pédagogique

Vous pouvez vous les procurer sur notre site Internet
à la section jeunesse / matériel pédagogique.

www.quebec-amerique.com